U0628187

数学文化小丛书

李大潜　主编

漫谈尺规作图

Mantan Chiguizuotu

徐诚浩

中国教育出版传媒集团

高等教育出版社·北京

图书在版编目（CIP）数据

漫谈尺规作图 / 徐诚浩编 . -- 北京 : 高等教育出版社，2017. 2（2024.5 重印）

（数学文化小丛书 / 李大潜主编. 第 4 辑）

ISBN 978-7-04-047206-6

Ⅰ . ①漫… Ⅱ . ①徐… Ⅲ . ①平面几何－普及读物 Ⅳ . ① O123. 1-49

中国版本图书馆 CIP 数据核字（2016）第 324624 号

项目策划　李艳馥　李 蕊

策划编辑	李 蕊	责任编辑	于丽娜	封面设计	张 楠
版式设计	马 云	插图绘制	杜晓丹	责任校对	窦丽娜
责任印制	存 怡				

出版发行	高等教育出版社	网　　址	http://www.hep.edu.cn
社　　址	北京市西城区德外大街 4 号		http://www.hep.com.cn
邮政编码	100120	网上订购	http://www.hepmall.com.cn
印　　刷	中煤（北京）印务有限公司		http://www.hepmall.com
开　　本	787mm×960mm 1/32		http://www.hepmall.cn
印　　张	2.5		
字　　数	41 千字	版　　次	2017 年 2 月第 1 版
购书热线	010-58581118	印　　次	2024 年 5 月第 4 次印刷
咨询电话	400-810-0598	定　　价	8.00 元

本书如有缺页、倒页、脱页等质量问题，请到所购图书销售部门联系调换

版权所有　侵权必究

物 料 号　47206-00

数学文化小丛书总序

整个数学的发展史是和人类物质文明和精神文明的发展史交融在一起的。数学不仅是一种精确的语言和工具、一门博大精深并应用广泛的科学，而且更是一种先进的文化。它在人类文明的进程中一直起着积极的推动作用，是人类文明的一个重要支柱。

要学好数学，不等于拼命做习题、背公式，而是要着重领会数学的思想方法和精神实质，了解数学在人类文明发展中所起的关键作用，自觉地接受数学文化的熏陶。只有这样，才能从根本上体现素质教育的要求，并为全民族思想文化素质的提高夯实基础。

鉴于目前充分认识到这一点的人还不多，更远未引起各方面足够的重视，很有必要在较大的范围内大力进行宣传、引导工作。本丛书正是在这样的背景下，本着弘扬和普及数学文化的宗旨而编辑出版的。

为了使包括中学生在内的广大读者都能有所收益，本丛书将着力精选那些对人类文明的发展起过重要作用、在深化人类对世界的认识或推动人类对世界的改造方面有某种里程碑意义的主题，由学有专长的学者执笔，抓住主要的线索和本质的内容，由浅入深并简明生动地向读者介绍数学文化的丰富内涵、数学文化史诗中一些重要的篇章以及古今中外一些著名数学家的优秀品质及历史功绩等内容。每个专题篇幅不长，并相对独立，以易于阅读、便于携带且尽可能降低书价为原则，有的专题单独成册，有些专题则联合成册。

希望广大读者能通过阅读这套丛书，走近数学、品味数学和理解数学，充分感受数学文化的魅力和作用，进一步打开视野、启迪心智，在今后的学习与工作中取得更出色的成绩。

李大潜

2005 年 12 月

目　　录

一、尺规作图问题的由来

本书要重点讲述下面四个古典尺规作图问题:

1. 用直尺和圆规把一个任意角分成三个相等的角 (简称为**三等分任意角**);

2. 用直尺和圆规作一个正立方体, 使它的体积等于某个已知正立方体体积的两倍 (简称为**倍立方**);

3. 用直尺和圆规作一个正方形, 使它的面积等于已知圆的面积 (简称为**化圆为方**);

4. 用直尺和圆规作一个正多边形, 其边数是某个大于 2 的整数 (简称为**作正多边形**).

这四个问题的提法都非常简单、明确、易懂, 令人好奇的是它们是怎么被提出来的? 提出的历史背景是什么? 怎么会成为 "古典几何作图难题"?

数学发展是从研究 "数" 和 "图形" 开始的, 也就是起源于 "数论" 和 "几何学". 公元前 5 世纪, 希腊雅典城出现了一个以安蒂丰 (Antiphon, 约公元前 480 — 约前 411) 为代表的诡辩学派, 他们能言善辩、逻辑性强, 尺规作图问题就是首先由他们提出来的.

尺规作图的确切说法是: 只能用一把没有刻度

的直尺和一个圆规作图, 并要求必须在有限步骤内完成作图. 当然, 在理论上要求直尺为无限长, 且在作图过程中只能使用直尺固定的一侧; 还要求圆规可以开至任意的宽度.

人们自然会问: 为什么非要限用直尺和圆规作图呢? 这是因为古希腊数学家 "言必称几何", 而且他们非常看重直尺和圆规. 他们认为, 直线和圆弧是构成所有平面几何图形的基本图形, 而直尺和圆规就是直线和圆弧的具体化, 是最直接和最精确的实施工具. 因为尺上的刻度总是近似的, 他们认为只有使用没有刻度的直尺和圆规作图才能确保其严密性, 甚至只承认能用没有刻度的直尺和圆规画出的几何图形. 到了公元前 3 世纪, 古希腊数学家欧几里得 (Euclid, 约公元前 330 — 前 275) 创立了以五条公设为基础的欧氏几何, 就更加推崇尺规作图了! 这五条公设就是:

1. 过两点能且只能作一条直线;

2. 线段 (就是有限直线) 可以从两端无限地延长;

3. 在平面内, 以任意一点为圆心、任意长为半径可作一个圆;

4. 凡是直角都相等;

5. 同一平面内一条直线和另外两条直线相交, 若在直线同侧的两个内角之和小于 180°, 则这两条直线经无限延长后在这一侧一定相交.

从这些公设可以看出, 欧氏几何与直尺和圆规之间的关系何等密切!

第五公设的等价命题是"过已知直线外一点,有且仅有一条直线与之平行",所以第五公设也称为**平行公设**.

数学家们早就发现第五公设和前四个公设比较起来,显得文字叙述冗长,而且也不那么显而易见.因此,一些数学家提出,能不能根据前四个公设来证明第五公设?也就是说,他们认为第五公设实际上应该是定理.这就是几何发展史上最著名的、争论了长达两千多年的关于"平行线理论"的讨论.到了19世纪,俄国喀山大学教授罗巴切夫斯基(Lobachevsky, 1792—1856)舍弃了平行公设,创立了逻辑上同样自洽的罗氏几何学.

在本书中有个约定:凡是说到某个图或某个数"**可作**",都是指限用没有刻度的直尺和圆规、能在有限步内作出来.否则,就称这个图或这个数"**不可作**".但这并不是说,用其他工具和方法也都是不可以作出的.

下面我们分别介绍这四个古典尺规作图问题具体是怎样提出来的,以及关于它们是否"可作"的确切结论.

二、三个古典尺规作图问题

1. 三等分任意角问题

中学生早就学会了用直尺和圆规把一个任意角二等分, 方法如下:

给定一个任意角. 以角的顶点 O 为圆心、以任意一个给定的长度为半径作圆弧, 与角的两条边分别交于点 A 与 B. 分别以 A 与 B 为圆心, 以相同 (且足够长) 的长度为半径作两个相交的圆弧, 任取其中一个交点记为 C. 因为 $\triangle AOC \cong \triangle BOC$, 所以 OC 就是所求的角平分线 (见图 1).

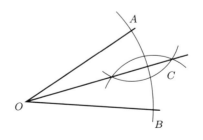

图 1　二等分任意角

既然可作角平分线，那么就可把一个任意角四等分、八等分……

这就很自然地产生了一个问题：能否用直尺和圆规把一个任意给定的角三等分？

2. 倍立方问题

关于倍立方问题的起源，有多种传说．这里介绍一种说法．

公元前 4 世纪，古希腊的雅典城流行鼠疫．居民们向供奉太阳神阿波罗的地劳斯神殿请求驱除瘟疫，巫师命令他们把现有的正立方体祭坛的体积扩大一倍，但仍要保持正立方体的形状．这就产生了倍立方问题．人们请教古希腊哲学家柏拉图 (Plato, 公元前 427 — 前 347)，他说，巫师是借此谴责希腊人不重视数学，并对几何学不够尊崇．

当然，这仅是传说．实际上，提出这个问题是很自然的．以任一正方形的对角线为边所得的新正方形，其面积恰好是原正方形面积的两倍，这就是"倍平方问题"．转而考虑正立方体，就自然产生倍立方问题了．

3. 化圆为方问题

求作一个正方形使其面积与某给定圆的面积相等，这是数学史上曾风靡一时的等积问题 (作新图形与给定图形的面积相等) 的一个特例．

最早研究化圆为方问题的是古希腊的安纳萨戈拉斯 (Anaxagoras, 约公元前 500 — 前 428)．他出身显贵，富有资产，但是一生漠视金钱而专心于科学研究．他说："活着就是为了研究太阳、月亮和天体."

他主张"太阳是燃烧的石头,根本不是阿波罗神",后来他因亵渎神明而被投入监狱. 为了打发岁月,他在狱中思考化圆为方问题,可惜没有留下任何具体的记载.

三、用直尺和圆规能够作出的基本几何图形

直尺的功能是: 对于任意给定的两个点, 可以作出一条通过这两个点的直线段; 圆规的功能是: 对于任意给定的一个点和任意给定的一个直线段, 可以作出一个圆弧, 其圆心是给定点, 而半径是给定的直线段.

在用直尺圆规作图时, 总可以认为: 两条已知相交直线的交点和两个已知相交圆的交点都是确定的; 而当一条已知直线和一个已知圆相交时, 它们的交点也是确定的.

下面我们具体看一下, 利用直尺和圆规能够做哪些事情?

1. 过一给定点, 作一条线段等于已知线段

任意给定一条线段 AB 和线外一点 C. 以 C 为圆心、$|AB|$ 为半径作一个圆弧, 在此圆弧上任意取定一点 D, 连接 C 和 D, 则线段 CD 等于 AB (见图 2).

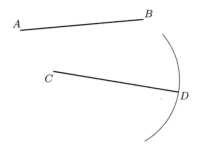

图 2　作一条线段等于已知线段

2. 作一个角等于已知角

任意给定 $\angle AOB$ 和点 O'. 作线段 $O'B'$ 使得 $|O'B'| = |OB|$. 以 O' 为圆心、$|OA|$ 为半径作一个圆弧; 以 B' 为圆心、$|BA|$ 为半径作一个圆弧, 两个圆弧交于点 A'. 连接 O' 和 A', 则由 $\triangle A'O'B' \cong \triangle AOB$ 知 $\angle A'O'B' = \angle AOB$ (见图 3).

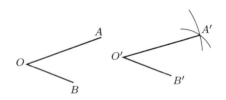

图 3　作一个角等于已知角

3. 过线外一点作已知直线的垂线

任意给定直线 L 和线外一点 P. 在 L 上任意取定两点 A 和 B, 并连接 PA 和 PB. 以 A 为圆心、$|AP|$ 为半径作一个圆弧; 以 B 为圆心、$|BP|$ 为半径作一个圆弧. 两个圆弧交于点 P 和 P', P 和 P'

的连线与 AB 交于点 C. 由 $\triangle APB \cong \triangle AP'B$ 知 $\angle PAC = \angle P'AC$, 从而 $\triangle APC \cong \triangle AP'C$, 由此推得 $PP' \perp L$ (见图 4), 即线段 PP' 的延长线就是 L 的过点 P 的垂线.

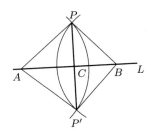

图 4　过线外一点作已知直线的垂线

4. 过线上一点作已知直线的垂线

任意给定直线 L 和线上一点 C. 在 L 上取定两点 A 和 B, 使得 $|CA| = |CB|$. 分别以 A 和 B 为圆心、以同一适当的长度为半径作圆弧交于点 P 和 P'. 连接 P 和 P', 那么线段 PP' 的延长线就是 L 的过点 C 的垂线 (见图 5).

事实上, 暂设 PP' 与 L 的交点为 C', 只需证明 C' 和 C 重合, 即只需证明 C' 为线段 AB 的中点.

由 $\triangle APB \cong \triangle AP'B$ 知 $\angle PAB = \angle P'AB$, 从而 $\triangle APC' \cong \triangle AP'C'$, 于是 $PP' \perp AB$, 线段 PP' 的延长线就是 L 的过点 C' 的垂线.

再由 $|AP| = |BP|$, 利用勾股定理就得到 $|C'A| = |C'B|$, 从而 C' 为线段 AB 的中点, 即 C' 和 C 重合. 这样, 线段 PP' 的延长线就是 L 的过点 C 的

垂线.

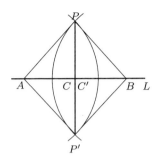

图 5   过线上一点作已知直线的垂线

5. 作已知线段的垂直平分线

已知直线段 AB. 分别以 A 和 B 为圆心、以同一适当的长度为半径作圆弧交于点 P 和 P', 那么线段 PP' 的延长线就是 AB 的垂直平分线 (见图 6).

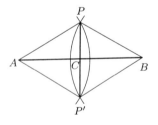

图 6   作线段的垂直平分线

事实上, 连接 PP', 与 AB 交于点 C, 则由 $\triangle APB \cong \triangle AP'B$, 有 $\angle PAB = \angle P'AB$, 从而 $\triangle APC \cong \triangle AP'C$. 类似于上述第 4 段中的论证可得 $PP' \perp AB$, 且 $|AC| = |CB|$.

用上述同一方法可确定已知直线段的中点.

6. 过线外一点作已知直线的平行线

任意给定一条直线 L 和此直线外的一点 P, 一定可用直尺和圆规作出一条过 P 点且与 L 平行的直线. 其作法如下 (见图 7):

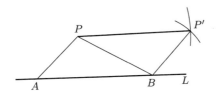

图 7　作平行线

在直线 L 上任意取两点 A 和 B, 连接 PA. 以 P 为圆心、$|AB|$ 为半径作一个圆弧; 以 B 为圆心、$|AP|$ 为半径作一个圆弧, 两个圆弧交于点 P'. 由 $\triangle APB \cong \triangle P'BP$, 易知 $PP'BA$ 为平行四边形, 而线段 PP' 的延长线就是过 P 点且与 L 平行的直线.

7. 等分直线段

用上述作平行线的方法就可把一个任意线段 AB 三等分. 其作法如下 (见图 8):

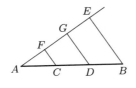

图 8　三等分线段

过点 A 任作一条不与 AB 重合的直线段. 以任意长为半径, 用圆规在此直线段上截取相等的三个直线段 AF, FG 及 GE, 使得 $|AF| = |FG| = |GE|$, 并连接 EB. 用第 6 段中作平行线的方法, 过 F, G 点分别作 EB 的平行线交 AB 于 C, D, 即 $FC//GD//EB$, 必有 $|AC| = |CD| = |DB|$.

用这种作平行线的方法, 同样可以用直尺和圆规把任意一个线段 n 等分, n 是任意正整数.

8. 可作实数的和、差、积、商以及平方根都是可作数

(1) 可作实数之和与差

设 a 和 b 是给定两个实数. 取实轴 Ox. 在轴上确定 a 和 b, 则和数 $a+b$ 和负数 $-b$ 容易确定, 因而差数 $a - b = a + (-b)$ 容易确定.

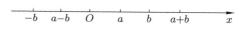

图 9   数之和与差

图 9 是 $0 < a < b$ 的情形, 其他情形类似.

(2) 可作实数之积

设 a 和 b 是给定两个实数. 取直角坐标系 xOy (见图 10), 在 x 轴上确定点 E 和 A 使得 $|OE| = 1$, $|OA| = a$; 在 y 轴上确定点 B 使得 $|OB| = b$. 连接线段 BE, 过点 A 作 BE 的平行线, 与 y 轴的交点为 C, 则必有 $|OC| = ab$.

事实上, 由 BE 与 CA 平行知

$$\frac{|OB|}{|OE|} = \frac{|OC|}{|OA|}$$

从而
$$|OC| = |OA| \times |OB| = ab$$

这就证明了 ab 可作.

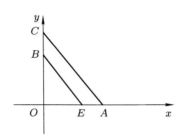

图 10　数之积

(3) 可作实数之商

设 $a \neq 0$ 和 b 是两个给定实数. 取直角坐标系 xOy (见图 11), 在 x 轴上确定点 E 和 A 使得 $|OE| = 1$, $|OA| = a$; 在 y 轴上确定点 B 使得 $|OB| = b$. 连接线段 AB, 过点 E 作 AB 的平行线, 与 y 轴的交点为 C, 则必有 $|OC| = \dfrac{b}{a}$.

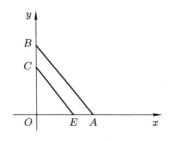

图 11　数之商

事实上, 由 AB 与 EC 平行知

$$\frac{|OC|}{|OB|} = \frac{|OE|}{|OA|}$$

从而

$$|OC| = \frac{|OB|}{|OA|} = \frac{b}{a}$$

这就证明了 $\frac{b}{a}$ 可作.

(4) 可作正实数之平方根

设 $a > 0$ 是给定正实数. 取直角坐标系 xOy (见图 12), 在 x 轴上确定点 A 和 B 使得 $|OA| = 1$, $|AB| = a$. 以 OB 为直径作上半圆, 过点 A 作 OB 的垂线交上半圆于点 P, 连接 PA. 由

$$|PA|^2 = |OA| \times |AB| = a$$

知必有 $|PA| = \sqrt{a}$. 所以, a 的平方根可作.

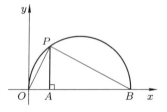

图 12　正实数的平方根

以上是直尺和圆规的一些基本功能. 基于这些基本功能, 可以在平面上作出一些比较复杂的图形, 它们是由一些直线段、圆弧和点组合而成的. 凡是

限用直尺和圆规、能在有限步内作出的平面几何图形, 统称为**初等几何图形**.

现在我们进一步剖析一下初等几何图形的结构. 因为直尺只能画直线段和角度, 圆规只能画圆弧和度量两点之间的距离, 所以, 初等几何图形必定是由点、直线段、角度和圆弧构成的. 直线段由两个端点确定; 角度由其顶点和两边上各取的一点确定; 任意一段圆弧也是由其上面的任意三个不同的点所确定的. 事实上, 在此圆弧上任取三个不同的点 A, B 和 C, 连接 AB 和 BC, 分别作线段 AB 和 BC 的垂直平分线, 其交点 O 必是此圆弧的圆心, 而 OA 就是此圆弧的半径. 这样, 归根到底, 任意一个初等几何图形一定可以通过一些点的构作而画出.

四、一些犯规的尺规作图方法

    本书第一讲中提出的前三个尺规作图问题, 它们的提法都非常简单、明确、易懂. 正因为如此, 从古至今一直引起人们极大的兴趣, 激发出强烈的欲望, 总想把它们作出来. 可是它们折磨了人们两千多年, 很多数学家曾为之竭力探索、冥思苦想, 却都未能突破, 直到 19 世纪 40 年代初, 才最终证明它们都不可作, 问题得到了彻底的解决, 这真正是数学发展史上少有的奇迹! 足见这些问题有无穷的魅力, 它既令人着迷, 又使人疑惑, 甚至到现在, 还继续困扰着一部分人.

    在对这些问题的探索过程中, 人们产生了无数的作图方法. 例如, 长时期内, 世界各地不断地有人宣布: 可以用直尺和圆规把一个任意角三等分 (不妨称他们为 "三等分角者"). 拿我国来说, 在 20 世纪七八十年代, 就有很多中青年埋头于 "三等分角问题", 主要原因也许是由于这个问题看起来容易上手, 只需要一些纸、一支笔、一把直尺和一支圆规就能研究了, 而如果一旦成功, 就会一鸣惊人, 甚至还能改变境遇和命运!

现在的情况虽然有了一些变化, 但仍然有一些业余爱好者, 完全凭着个人的兴趣和执着, 企图攻克这些难题, 甚至经常有人带着精美的作图向有关部门 "报喜" 呢!

可惜这些作图方法都是 "犯规" 的, 就是不符合尺规作图的要求. 绝大部分 "三等分角者" 根本没有弄清楚问题的确切提法, 往往是无的放矢、答非所问, 做的全部是无用功. 于是, 有关数学研究和教学单位不得不采用 "不予审阅, 妥为保存" 的方法来处理这一类稿件, 因为它肯定是错误的, 而如果去指出其中的错误, 不但费时费力, 而且毫无意义.

不过, 在探索上述古典尺规作图问题的漫长岁月中, 虽然人们明明知道某些数学家的努力是 "犯规" 的作图法, 但这些作图法并不都是毫无意义的. 对此, 我们举例介绍以下几个著名的犯规作图方法.

1. 三等分任意角

三等分任意角的问题是一个历史久、流传广、影响大、费力多、惑人深的古典问题.

早在公元前 5 世纪, 希腊人希皮亚斯 (Hippias, 约公元前 460 — 前 400) 为了把一个任意角三等分, 特地发明了一种**割圆曲线**, 其作法如下 (见图 13):

在平面上作直线段 AB 垂直于 AD, 且 $|AB| = |AD|$. 作 BC 平行于 AD. 将 AB 绕 A 点按顺时针方向**匀速**转到 AD, 与此同时, 将 BC **匀速**平行下移与 AD 重合. 设当 AB 转到 AD' 时, BC 正好平移到 $B'C'$, 而 AD' 与 $B'C'$ 交于点 E', 这个点 E' 就

是割圆曲线上的一般点, $BE'E''G$ 就是割圆曲线.

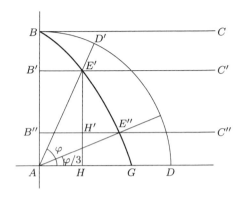

图 13　割圆曲线

利用这个割圆曲线就可把一个任意角三等分了.

设 $\angle E'AD = \varphi$. 作 $E'H \perp AD$, 其在 AD 上的垂足是 H. 把线段 $E'H$ 三等分, 使

$$|E'H| = 3|H'H|$$

过 H' 作 $B''C''$ 平行于 AD, 它交割圆曲线于 E'' 点, 就有

$$\angle E''AD = \frac{1}{3}\angle E'AD = \frac{\varphi}{3}$$

这就实现了一个任意角 φ 的三等分.

事实上, 注意到割圆曲线的构造过程中的一个 "同时" 与两个 "匀速", 就可得到

$$\frac{\angle E''AD}{90°} = \frac{|H'H|}{|AB|} = \frac{1}{3} \times \frac{|E'H|}{|AB|} = \frac{1}{3} \times \frac{\angle E'AD}{90°}$$

但是因为作图过程中所要求的 "同时和匀速", 是无法仅仅用直尺和圆规实施的, 所以这个作图方法是犯规的.

到了公元前 3 世纪, 希腊数学大师阿基米德 (Archimedes, 公元前 287— 前 212) 也曾给出了一个非常简单的方法把一个任意角三等分.

任给 $\angle A'OB' = \varphi$. 取一把直尺, 设 F 和 F' 是直尺的两个端点. 用一支有颜色的笔在此直尺上任意涂上点 E. 以 O 为圆心、以 $|FE| = r$ 为半径画半圆, 交角 φ 的两边于 A 和 B. 现在, 让点 E 在圆周上滑动, 并使点 F 始终保持在 BO 的延长线上移动, 一直到此直尺通过点 A 停止 (见图 14).

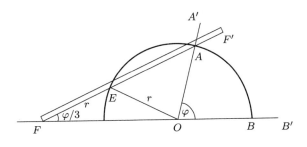

图 14　三等分角

利用三角形的外角等于不相邻的两个内角之和, 易证

$$\varphi = \angle AOB = \angle AFO + \angle FAO = \angle AFO + \angle AEO$$
$$= \angle AFO + 2\angle EFO = 3\angle AFO$$

于是就可作出 $\angle AFO = \dfrac{1}{3}\varphi$.

可惜, 因为 "在此直尺上任意涂上点 E" 和 "让点 E 在圆周上滑动" 只能是近似的, 而且这些滑动和移动操作无法仅仅用直尺和圆规实施, 所以这个作图方法也是犯规的.

由上可见, 稍许放松一点要求, 三等分任意角就可作了!

这种 "想当然" 式的犯规, 古今中外热衷于三等分任意角的人往往会不自觉的发生. 当然, 阿基米德知道他的方法是犯规的, 但苦于无法否定三等分任意角的可作性.

2. 倍立方

公元前 5 世纪, 古希腊毕达哥拉斯学派中的希波克拉底 (Hippocrates, 约公元前 470 — 前 410) 写了一本几何教材, 它是后来欧几里得《几何原本》的蓝本. 在这本书中, 希波克拉底指出, 倍立方问题可归结为如下数的比例问题:

设 a 是给定正立方体的棱长, 只需求出 a 与 $2a$ 之间的两个比例中项 x 和 y, 满足

$$a : x = x : y = y : 2a$$

即

$$x^2 = ay, \quad y^2 = 2ax$$

则由

$$x^4 = a^2 y^2 = 2a^3 x$$

就可得到

$$x^3 = 2a^3$$

这个 x 就是所求的倍立方体的棱长.

可是如何根据所给定的 a, 限用直尺和圆规经有限步作出这个 x 呢? 这就是倍立方问题的尺规作图问题.

根据上述与倍立方问题等价的数比问题, 有人给出如下的柏拉图作图法.

任意作两条互相垂直的直线 PQ 和 ST, 它们的交点为 O. 在 ST 上截取 $|OB| = a$, 在 PQ 上截取 $|OA| = 2a$. 再取两把 L 形直角尺 I 和 II. 让 I 的直角顶点 M 在 ST 上移动、而确保一条直角边始终过 A 点; 同时, 让 II 的直角顶点 N 在 PQ 上移动、而确保一条直角边始终过 B 点; 再协调 I 和 II 的位置, 使得它们的另一条直角边正好重合. 这样就确定了点 M 和 N 的位置 (见图 15).

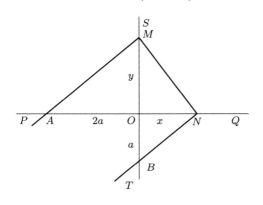

图 15 倍立方

记

$$|ON| = x, \quad |OM| = y$$

在直角 $\triangle MNB$ 中, 有

$$x^2 = ay$$

在直角 $\triangle AMN$ 中, 有

$$y^2 = 2ax$$

于是由

$$x^4 = a^2 y^2 = 2a^3 x$$

即得 $x^3 = 2a^3$. 这个 x 就是所求的倍立方体的棱长.

可是, 在这个作图过程中, 要如此协调两把 L 形直角尺的位置, 当然不满足尺规作图的要求.

后来, 梅内克缪斯 (Menaechmus, 公元前 380 —前 320) 把上述倍立方问题化为求两条抛物线

$$\begin{cases} x^2 = ay \\ y^2 = 2ax \end{cases}$$

的交点 (x, y), 此时必有

$$x^3 = 2a^3$$

或者化为求一条抛物线与一条双曲线

$$\begin{cases} x^2 = ay \\ xy = 2a^2 \end{cases}$$

的交点 (x, y), 此时也必有

$$x^3 = axy = 2a^3$$

在数学史上, 正是这位梅内克缪斯首次提出圆锥曲线 (抛物线、双曲线与椭圆) 的概念, 开创了圆锥曲线的研究. 但他的这一求解倍立方问题的方法, 也是不符合尺规作图的要求的.

3. 化圆为方

欧洲文艺复兴时期的意大利画家、自然科学家、工程师达·芬奇 (L. da Vinci, 1452—1519) 曾很巧妙地 "解决" 了化圆为方作图问题.

设已知圆的半径为 r. 以已知圆为底作一个圆柱, 其高为 $\frac{r}{2}$. 将这个圆柱在平面上滚动一周, 产生一个长方形, 其边长分别为 $\frac{r}{2}$ 和 $2\pi r$. 以 $|PQ| = \frac{r}{2} + 2\pi r$ 为直径作一个圆. 在 $\frac{r}{2}$ 与 $2\pi r$ 的分界点 A 处作线段 PQ 的一条垂线, 交上半圆于点 B (见图 16).

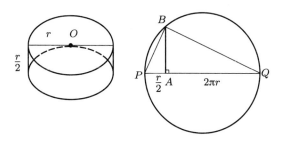

图 16　化圆为方

由

$$|AB|^2 = \frac{r}{2} \times 2\pi r = \pi r^2$$

知以 AB 为边的正方形的面积就是已知圆的面积.

但在这一作图过程中，要求"圆柱在平面上滚动一周"，这也是不符合尺规作图要求的.

五、天才青年数学家伽罗瓦

上述三个古典几何作图难题, 折磨了人们两千多年, 几乎所有的大数学家都曾经将自己的聪明才智倾注在这些问题上, 但均以失败告终. 到了 19 世纪 40 年代初, 这个无数人没有攻下的顽固堡垒, 却被一位大学生拿下了. 他创建了一门崭新的学科 "抽象代数学" 和有效的工具 "扩域理论", 使得这些长期困扰着人们的难题一一迎刃而解, 结束了这场旷日持久的消耗战!

这个大学生就是法国天才数学家伽罗瓦 (Galois, 1811—1832) (见图 17). 这里简单介绍一下他的传奇经历.

伽罗瓦出生于法国巴黎郊区的一个小城市. 他的双亲都受过良好的教育. 父亲是参与政界活动的自由党人, 曾任校长、市长, 后因受政治迫害而自杀. 父亲对伽罗瓦的成长有很大影响, 伽罗瓦说: "父亲是我的一切." 母亲是法官的女儿, 是伽罗瓦的启蒙老师.

伽罗瓦 12 岁时考入著名的皇家中学 (雨果的母

图 17　伽罗瓦像

校, 培养专家、牧师和教授的摇篮), 在前三年, 他都是优等生, 完全靠奖学金生活. 直到 16 岁时, 他才被批准选学第一门数学课, 这立即激发了他的数学才能, 使他对数学产生了浓厚的兴趣. 伽罗瓦经常抛开教科书, 到图书馆直接阅读大数学家的专著, 这更提高了他的信心. 他认为他能够做到的, 不会比这些大数学家们少, 有的教师曾认为他被数学的魅力迷住了.

到了学年末, 他不再去听任何专业课了, 专心准备报考巴黎综合理工大学 (它培育了很多大数学家、科学家). 由于他忽视了其他学科, 导致他首次报考巴黎综合理工大学失败. (在考场上, 他甚至认为主考官关于概率的问题太简单, 不屑回答.)

17 岁时他转到里夏尔的数学专业班, 开始着手研究关于方程理论、整数理论和椭圆函数理论的最新著作.

1829 年, 中学学年结束后, 伽罗瓦刚满 18 岁,他在再次报考巴黎综合理工大学时又落选了. (当时适逢父亲自杀, 在考场上, 他遭到考官的嘲笑, 竟然向考官怒扔了黑板擦.)

伽罗瓦只得听从里夏尔的劝告决定进法国高等师范大学.

年仅 17 岁的伽罗瓦就在法国第一个专业数学杂志《纯粹与应用数学杂志》三月号上, 发表了他的第一篇论文《周期连分数一个定理的证明》.

1829 年, 他先后将他的两篇关于 "群" 的初步理论的论文呈送法国科学院, 主审是柯西, 柯西建议他重新修改. 伽罗瓦将他仔细修改过的论文再次呈送科学院, 由傅里叶主审. 不幸, 傅里叶在当年 5 月去世, 但在他的遗物中却未能找到伽罗瓦的手稿. 对于稿件被遗失一事, 伽罗瓦曾致信法国科学院院长: "科学院预先认定我对这个问题无能为力的原因, 第一, 因为我是伽罗瓦; 第二, 因为我是大学生."

1830 年伽罗瓦发表了三篇论文, 这充分说明了他已在数学界赢得了声誉.

1831 年, 他向科学院呈送了题为《关于方程根式解的条件》的论文, 这一次负责审查论文的是泊松. 虽然泊松认真地审阅了它, 可得出的结论却是 "不可理解" 而予以退回.

对事业必胜的信念激励着年轻的伽罗瓦, 虽然他的论文得不到应有的重视, 但他并没有灰心, 进一步向更广的领域探索.

1830 年, 法国爆发了著名的 "七月革命", 推翻了波旁复辟王朝, 但是新的菲力普王朝并未给人民带来好处，于是反政府的共和派中的激进分子组成了"人民之友社". 1830 年 11 月，伽罗瓦成为该组织的成员. 他发誓："如果为了唤起人民需要我死，我愿意牺牲自己的生命." 不论在数学王国还是在现实斗争中，他始终是面向未来的不屈斗士. 他说："妨碍我成为科学家的，恰好是我不仅仅是个科学家."

由于他揭发了校长对法国七月革命政变的两面派行为，校方立即将伽罗瓦开除出高等师范大学. 失学以后，伽罗瓦便根据自己的意志投身于政治活动.

1831 年 5 月 9 日，伽罗瓦以"教唆谋害法兰西国王人身和生命未遂"罪被捕，由于共和党人律师的努力，被法院释放.

1831 年 7 月 14 日，伽罗瓦率众上街示威游行时，再次被捕，他被关押在圣佩拉吉监狱，在狱中他顽强地进行数学研究.

1832 年 3 月 16 日，由于霍乱流行，伽罗瓦被转移到一家私人医院服刑. 他在那里陷入一场恋爱，导致以后因爱情纠纷而卷入决斗. 这个女人是这家医院院长的女儿，她的军官未婚夫是法国好枪手.

1832 年 4 月 29 日，伽罗瓦获释. 那位军官与伽罗瓦相约在 1832 年 5 月 30 日拂晓时分决斗. 伽罗瓦非常清楚对手的枪法很好，自己难以摆脱死亡的命运，他连夜给朋友写信，仓促地把自己生平的数学研究心得扼要写出，并附以论文手稿. 此时，由于精神高度紧张和不安，他匆匆把关于方程论的发现草草写成几页说明寄给他的朋友，并附有如下一段话：

"在我一生中，我常常敢于预言当时我还不十分有把握的一些命题. 但是我在这里写下的这一切已经清清楚楚地在我的脑海里一年多了, 我不愿意使人怀疑我宣布了自己未完全证明的定理. 请公开请求雅可比或高斯就这些定理的重要性 (不是就定理的正确与否) 发表他们的看法. 然后, 我希望有人会发现, 将这一堆东西整理清楚会是很有益处的一件事."

他不时地中断书写, 在纸边空白处写上: "我没有时间了, 我没有时间了!" 然后又接着写下一个极其潦草的大纲.

在决斗场上, 伽罗瓦被打穿了肠子. 1832 年 5 月 30 日清晨, 在巴黎的葛拉塞尔湖附近躺着一个昏迷的年轻人, 过路的农民判断他是决斗后受了重伤, 就把这个不知名的青年抬到医院. 伽罗瓦在临死前曾对自己的一生做了这样的总结:

"永别了, 我已经为公共的幸福献出了自己大部分的生命!"

伽罗瓦在死前, 拒绝了神甫替他祈祷, 他对在他身边哭泣的弟弟说: "不要哭, 我需要足够的勇气在 20 岁的时候死去."

1832 年 5 月 31 日上午 10 时, 稀世英才伽罗瓦与世长辞. 他被埋葬在公墓的普通壕沟内, 今天他的坟墓已无踪迹可寻. 事后他的朋友们分析, 使得伽罗瓦受骗而堕入风流韵事, 本身就是一个要置他于死地的政治阴谋.

他在天亮之前那最后几个小时写出的东西, 为一个折磨了数学家们好多个世纪的问题 (高次代数方程根式求解和直尺圆规作图) 找到了真正的答案, 开创了数学的一片新天地.

　　几十年后, 伽罗瓦超越时代的天才思想才逐渐被人们所理解和承认, 形成了蓬勃发展且有广泛应用的抽象代数学!

六、堡垒被伽罗瓦攻克

在讲完了关于伽罗瓦可歌可泣、感人肺腑的传奇故事以后, 现在介绍他找到了怎样解决难题的途径和方法.

在第三讲中已经讲过, 任意一个初等几何图形, 归根到底一定可以通过构作一些点而画出.

解决初等几何图形尺规作图问题的途径是: 先把它归结为 "点" 的构作问题; 然后转化为 "数" 的构作问题; 而关于数, 再建立一套奇妙的扩域理论; 最后给出一个回答能不能作出图来的判别准则. 这就是说, 把几何问题作代数化处理.

那么, "点" 的构作问题如何转化为 "数" 的构作问题呢? 转化的方法是在平面 W 上取定直角坐标系 xOy (见图 18), 则

$$W = \{(x, y) | x, y \in \mathbf{R}\}$$

上的点 $P(x, y)$ 必与复数 $z = x + \mathrm{i}y(\mathrm{i} = \sqrt{-1})$ 一一对应. 我们可以把 W 称为**复平面** (通常的复平面还应包含无穷远点, 这里不作这一要求). 这里, $\mathbf{R}$ 是

实数全体.

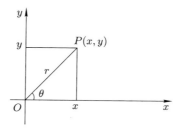

图 18　复平面

复数的极坐标表示为

$$z = x + \mathrm{i}y = r\mathrm{e}^{\mathrm{i}\theta} = r(\cos\theta + \mathrm{i}\sin\theta)$$

其中 $\mathrm{i} = \sqrt{-1}, r = \sqrt{x^2 + y^2}$, 而 $\theta = \angle POx$.

既然已将点转化为复数, 今后我们就不拘泥于点与复数在形式上的差别, 并可以用代数方法来讨论了.

为了建立解决上述古典作图难题的判别准则, 我们先介绍一些必须的预备知识. 它们看起来有点抽象难懂, 但只要通过实例仔细领会, 还是可以基本理解的, 最终只要能够在后文中看明白如何应用就可以了.

1. 数域

我们先引进数域概念. 设 F 是复数的某个至少含有两个元素的集合, 如果 F 关于复数的加、减、乘和除 (除数不是零) 是封闭的, 即 F 中数的和、差、积和商 (除数不是零) 仍是 F 中的数, 则称 F 是一个**数域**.

显然, 全体有理数集 **Q**、全体实数集 **R** 和全体复数集 **C** 都是数域, 依次称为**有理数域**、**实数域**和**复数域**. 但是, 全体自然数集 **N** 和全体整数集 **Z** 都不是数域.

若 F 和 E 是两个数域, 如果有集合包含关系 $F \subseteq E$, 即 F 中的数都在 E 中, 则称 E 是 F 的一个**扩域**, 而 F 是 E 的**子域**. 我们仍然用集合记号 $F \subseteq E$ 表示两个数域之间的这种关系. $F \subset E$ 表示 $F \subseteq E$ 且 $F \neq E$, 这时称 F 是 E 的**真子域**, 而 E 是 F 的**真扩域**.

显然有 $\mathbf{Q} \subset \mathbf{R} \subset \mathbf{C}$.

对于任何一个数域 F 而言, 因为 F 中至少有两个数, 可任取 $a \in F$ 和 $b \in F, b \neq 0$, 必有

$$a - a = 0 \in F, \qquad \frac{b}{b} = 1 \in F$$

这说明任意一个数域中必含有数 0 和 1. 进一步可证必有 $\mathbf{Q} \subseteq F$. 事实上, 由 $1 \in F$ 知 F 必含有全体自然数集 **N**, 再由 $0 - 1 = -1 \in F$ 知 F 必含有全体整数集 **Z**, 再由除法封闭性就得到 $\mathbf{Q} \subseteq F$. 因此, 有理数域是最小的数域, 它是任意一个数域的子域.

在本节及下文中所提到的数都是复数, 而所讨论的只是数域, 复数和数域就分别简称为**数**和**域**.

实际上, 满足域条件的数集有无穷多个. 例如, 实数集的真子集

$$\mathbf{Q}(\sqrt{2}) = \{a + b\sqrt{2} \,|\, a, b \in \mathbf{Q}\}$$

必是域. 这里 $\mathbf{Q}(\sqrt{2})$ 是一个完整的记号, 表示它是有理数域 **Q** 的一个扩域, 并称 $\sqrt{2}$ 是其一个**添加元**.

这是因为对于任取的 $a + b\sqrt{2} \in \mathbf{Q}(\sqrt{2}), c + d\sqrt{2} \in \mathbf{Q}(\sqrt{2})$, 都有

$$(a + b\sqrt{2}) \pm (c + d\sqrt{2}) = (a \pm c) + (b \pm d)\sqrt{2}$$

$$(a + b\sqrt{2})(c + d\sqrt{2}) = (ac + 2bd) + (ad + bc)\sqrt{2}$$

$$\frac{a + b\sqrt{2}}{c + d\sqrt{2}} = \frac{1}{c^2 - 2d^2}[(ac - 2bd) + (bc - ad)\sqrt{2}]$$

$$\text{(其中 } c + d\sqrt{2} \neq 0)$$

它们都属于 $\mathbf{Q}(\sqrt{2})$. 显然有 $\mathbf{Q} \subset \mathbf{Q}(\sqrt{2}) \subset \mathbf{R}$. $\mathbf{Q}(\sqrt{2})$ 是包含 $\sqrt{2}$ 和 $\mathbf{Q}$ 的最小扩域.

类似可证

$$\mathbf{Q} \subset \mathbf{Q}(\sqrt{3}) = \{a + b\sqrt{3}|a, b \in \mathbf{Q}\} \subset \mathbf{R}$$

2. 扩域的次数

接下来要讨论扩域的次数. 以扩域

$$\mathbf{Q}(\sqrt{2}) = \{a + b\sqrt{2}|a, b \in \mathbf{Q}\}$$

为例, $\mathbf{Q}(\sqrt{2})$ 中的任意一个元素都可以唯一地写成

$$a \times 1 + b \times \sqrt{2}(a, b \in \mathbf{Q})$$

的形式. 我们把 $\mathbf{Q}(\sqrt{2})$ 中这两个特殊元素 1 和 $\sqrt{2}$ 称为 $\mathbf{Q}(\sqrt{2})$ 的一个**基**. 因为这个基 $\{1, \sqrt{2}\}$ 由两个数组成, 就说 $\mathbf{Q}(\sqrt{2})$ 是 $\mathbf{Q}$ 的 2 次扩域.

一般地说, 如果 E 是域 F 的一个扩域, 且在 E 中存在 n 个数 $b_1, b_2, \cdots, b_n$, 使得 E 中任意一个数 a 都可唯一地写成

$$a = k_1 b_1 + k_2 b_2 + \cdots + k_n b_n$$

其中, $k_1, k_2, \cdots, k_n$ 都属于 F, 则称 $b_1, b_2, \cdots, b_n$ 是 E 的一个 F-**基**, 并称 E 是 F 的 n 次扩域. 当扩域次数 n 是有限数时, 称 E 是 F 的**有限扩域**.

3. 代数元和单代数扩域

设 F 是任意一个域. 考虑系数取自于 F 中的多项式全体

$$F[x] = \{f(x) = a_n x^n + a_{n-1} x^{n-1} + \cdots + a_1 x + a_0 | a_i \in$$

$$F(i = 1, 2, \cdots, n), n \in \mathbf{Z}^+\}$$

其中 $\mathbf{Z}^+$ 为正整数集.

称一个数 a 是 F 上的**代数元**, 指的是存在某个 $f(x) \in F[x]$ 使得 $f(a) = 0$. 不是 F 上代数元的数, 称为 F 上的**超越元**.

例如, 因为 $\sqrt{2}$ 是有理系数方程 $x^2 - 2 = 0$ 的根, 所以 $\sqrt{2}$ 是有理数域 $\mathbf{Q}$ 上的代数元.

若 a 是 F 上的代数元, 则在 $F[x]$ 中以 a 为根的所有多项式中, 次数最低且首项系数为 1 的多项式 $p(x)$ 称为 a 在 F 上的**最小多项式**. 它是由 a 唯一确定的, 而且必是 $F[x]$ 中的不可约多项式, 即在 $F[x]$ 中不可分解因式. 当 $p(x)$ 的次数为 n 时, 称 a 为 F 上的 n 次代数元.

例如, $\sqrt{2}$ 在 $\mathbf{Q}$ 上的最小多项式为 $x^2 - 2$, $\sqrt{2}$ 是 $\mathbf{Q}$ 上的 2 次代数元.

设 a 是 F 上的 n 次代数元, 则可得到 F 的一个 n 次扩域

$$F(a) = \left\{\sum_{i=0}^{n-1} k_i a^i | k_i \in F, i = 0, 1, 2, \cdots, n-1\right\}$$

它有一个 F-基 $\{1, a, a^2, \cdots, a^{n-1}\}$. 这个扩域是由域 F 和单个代数元 a 生成的, 就是说, $F(a)$ 中的任意一个数都可以表示成多项式 $\sum\limits_{i=0}^{n-1} k_i a^i$ 的形式. $F(a)$ 称为 F 的 **单代数扩域**, 它是 F 的包含 a 的最小扩域.

例如, 复数域是实数域的 2 次单代数扩域:

$$\mathbf{C} = \mathbf{R}(\sqrt{-1}) = \{a + b\sqrt{-1} | a, b \in \mathbf{R}\}$$

有趣的是, 可以证明: 域 F 的任意一个有限扩域 E 一定是 F 的单代数扩域, 也就是说, 当扩域次数是有限数时, 一定存在某个 $a \in E$, 使得 $E = F(a)$.

用伽罗瓦理论可以证明: 若 a 是域 F 上的 n 次代数元, 则 F 的单代数扩域 $E = F(a)$ 必是 F 的 n 次扩域.

4. 可作性判别准则

根据伽罗瓦创建的扩域理论, 可以得到

判别准则   如果某个数 a "可作", 则它一定是某个基础数域 F 上的代数元, 即它是 F 上的某个不可约多项式 $f(x)$ 的根, 即

$$f(a) = 0$$

而且 $f(x)$ 的次数必是 2 的某个方幂 2^l, 其中 l 是某个正整数. 这里所说的基础数域 F 是有理数域 $\mathbf{Q}$ 的某个扩域.

这是某个数 "可作" 必须满足的条件 (必要条件). 因此, 如果某个数 a 不满足此条件, 则它一定

"不可作". 当然, 即使某个数 a 满足此条件, 则它也不一定 "可作". 但是对于解决 "三等分任意角、倍立方和化圆为方的不可作问题" 来说, 这个必要条件已经足够了!

七、关于三个古典尺规作图问题
不可作的证明

　　根据上一讲中给出的关于某个数 "可作" 的必要条件, 可以彻底解决 "三等分任意角、倍立方和化圆为方的不可作问题".

1. 三等分任意角问题

　　要构作某个初等几何图形, 当然必须预先给定某些已知点或数.

　　例如, 要用直尺和圆规把角 $60°$ 三等分, 就必须给出角的顶点和分别在它的两边上所取的任意两个点. 例如, 要根据以下三个点

$$O(0,0), A(1,0), B\left(\frac{1}{2}, \frac{\sqrt{3}}{2}\right)$$

来作出点 $C(\cos 20°, \sin 20°)$ (见图 19). 换成数的语言就是要根据三个数

$$z_0 = 0, z_1 = 1, z_2 = \frac{1}{2} + i\frac{\sqrt{3}}{2}$$

来作出数 $z = \cos 20° + i \sin 20°$.

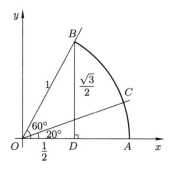

图 19　三等分 60°

　　因为 $\alpha = 60°$ 可用直尺和圆规三等分的充分必要条件是 $z = \cos 20° + \mathrm{i}\sin 20°$ 可作, 而它的必要条件是 $a = \cos 20°$ 可作. 根据上一讲中所述的判别准则, 这就是说, a 必须是基础数域

$$F = \mathbf{Q}(\mathrm{i}\sqrt{3}) = \{a + b\mathrm{i}\sqrt{3} | a, b \in \mathbf{Q}\}$$

上 2^l 次代数元, 即 a 是某个 2^l 次有理系数不可约多项式的根. 这里 $\mathbf{Q}$ 是有理数域, 基础数域 $\mathbf{Q}(\mathrm{i}\sqrt{3})$ 是 $\mathbf{Q}$ 的包含 $\mathrm{i}\sqrt{3}$ 的最小扩域, 它是 $\mathbf{Q}$ 的 2 次扩域.

　　但这是不可能的! 因为在

$$\cos 3\theta = 4\cos^3\theta - 3\cos\theta$$

中取 $\theta = 20°, a = \cos 20°$ 得

$$4a^3 - 3a = \cos 60° = \frac{1}{2}$$

即有

$$(2a)^3 - 3(2a) - 1 = 0$$

但 $x^3 - 3x - 1$ 显然是 $\mathbf{Q}[x]$ (它是有理系数多项式全体) 中的 3 次不可约多项式, 而 3 不是 2 的方幂, 根据上述判别准则知道 $2a$ 不可作, 即 a 不可作. 这就证得角 $\alpha = 60°$ 不可用直尺和圆规三等分.

这说明 "用直尺和圆规可以把任意角三等分" 这个命题是错误的.

为了证明 "用尺规三等分任意角问题是不可作的", 只要举出一个例子说明: 存在不能用直尺和圆规三等分的角 (例如, $\alpha = 60°$) 就可以了. 另一方面, 又确实有无穷多个角可用直尺和圆规三等分.

例如, 只要正整数 n 不是 3 的倍数, 则角 $\alpha = \dfrac{\pi}{n}$ 必可用直尺和圆规三等分.

为了证明这个结论, 需要用到关于整数的一个命题: 对于任意两个整数 m 和 n, 一定存在整数 u 和 v, 使得

$$(m, n) = mu + nv$$

这里 (m, n) 是 m 与 n 的最大公因数.

不失一般性, 我们可用一个实例说明这个事实.

求 $m = 318$ 和 $n = 628$ 的最大公因数 (m, n), 并求出 u 和 v 使得

$$(m, n) = 318u + 628v$$

其解法如下:

应用欧几里得创造的辗转相除法依次求出如下

带余除式 (确定商数和余数):

$$628 = 1 \times 318 + 310$$

$$318 = 1 \times 310 + 8$$

$$310 = 38 \times 8 + 6$$

$$8 = 1 \times 6 + 2$$

$$6 = 3 \times 2 + 0$$

这里, 每次都是用上一式中的余数去除上一式中的除数得到下一个带余除式. 因为所得的非负余数一定越来越小, 所以经有限步以后, 必可得到余数为 0 的带余除式. 最后一个非零余数 2, 显然是 318 与 628 的一个公因数. 再由上述前四个带余除式容易看出 318 与 628 的任意一个公因数一定整除 2, 所以 2 必是所求的最大公因数, 即 $(318, 628) = 2$.

利用上述诸等式, 用自下而上的逐步代入法可得

$$2 = 8 - 6 = 8 - (310 - 38 \times 8) = -310 + 39 \times 8$$

$$= -310 + 39 \times (318 - 310)$$

$$= 39 \times 318 - 40 \times 310$$

$$= 39 \times 318 - 40 \times (628 - 318)$$

$$= 318 \times 79 - 628 \times 40$$

于是求出 $u = 79, v = -40$.

回到我们所讨论的问题. 因为 n 不是 3 的倍数, 而 3 是素数, 所以 3 与 n 的最大公因数是 1, 于是,

一定存在整数 u 和 v 使得

$$3u + nv = 1$$

即有关系式

$$\frac{1}{3n} = \frac{u}{n} + \frac{v}{3}$$

从而

$$\frac{1}{3}\frac{\pi}{n} = u\frac{\pi}{n} + v\frac{\pi}{3}$$

即

$$\frac{1}{3}\alpha = u\alpha + v60°$$

因为已知角 $\alpha = \dfrac{\pi}{n}$ 的 (正负) 倍数 $u\alpha$ 可作, 又因为圆内接正六边形可作, 即 $60°$ 可作, 它的 (正负) 倍数 $v60°$ 也可作, 故这两者的和 $\dfrac{\alpha}{3}$ 必可作.

依次取 $n = 1, 2, 4, 5$ 可知以下角必可用直尺和圆规三等分:

$$\alpha = 180°, 90°, 45°, 36°$$

例如, 取 $n = 5$ 可知 $\alpha = 36°$, 有 $3(-3) + 5 \times 2 = 1$, 所以

$$12° = -3 \times 36° + 2 \times 60°$$

必可作.

2. 倍立方问题

设原立方体的棱长为 1, 则作倍立方体的棱长相当于作 $x^3 - 2 = 0$ 的根 $z = \sqrt[3]{2}$, 但 $x^3 - 2 = 0$ 的次数是 3, 而 3 不是 2 的方幂, 仍根据上述判别准则知道 $z = \sqrt[3]{2}$ 不可作, 即倍立方体的棱长不可作.

42

3. 化圆为方问题

因为单位圆的面积为 π，所以要作出面积为 π 的正方形的边长 x，就是要作出 $x^2 - \pi = 0$ 的根 $\sqrt{\pi}$. 但是在 1882 年，德国数学家林德曼 (Lindemann, 1852—1939) 已证明了 π 不是代数数，即 π 不是任何有理系数多项式的根，从而 $x^2 - \pi$ 不是有理系数多项式，$\sqrt{\pi}$ 必不可作，即面积为 π 的正方形是不可作的.

于是，这三个古典尺规作图问题就"轻轻松松地"彻底解决了，由此足见数学基础理论的威力和魅力！

八、用尺规作正多边形

有关尺规作图的古典难题, 除了前面所说的三个以外, 更有传奇色彩的是正多边形的尺规作图问题.

早在公元前 3 世纪的古希腊欧几里得时期, 人们就已经知道, 用直尺和圆规作正 n 边形, 是等价于用直尺和圆规把整个圆周 n 等分. 当时已经知道了边数为

$$3, 5, 15 \text{ 以及 } 2^n, 2^n \times 3, 2^n \times 5, 2^n \times 15$$

(n 为任意正整数)

的正 n 边形都可以用直尺和圆规经有限步作出.

1. 一些简单的正多边形的作法

(1) 正六边形和正三边形

以任意一点 O 为圆心、任意一个值 r 为半径作一个圆. 在圆上任取一点 A, 从 A 点出发, 以 r 为半径画圆弧可把整个圆周六等分, 分别得到分点 A, B, C, D, E, F, 连接这些相邻分点就得到一个正六边形. 显然, $\triangle ACE$ 就是一个正三边形 (见图 20).

事实上, △OAB, △OBC, △OCD 等是六个等边三角形, 其内角都是 60°.

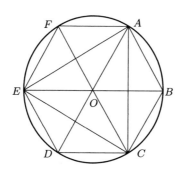

图 20　正三边形和正六边形

(2) 正五边形和正十边形

在单位圆 (半径为 1 的圆) O 中作两条互相垂直的直径, 分别取其端点 F 和 B. 作半径 OF 的中点 A, 连接 AB. 以 A 为圆心、$\frac{1}{2}$ 为半径作一半圆, 交 AB 于点 C; 以 B 为圆心、$|BC|$ 为半径作一圆弧, 交大圆于 E 和 D 两点. 可证 $|BE|$ 就是正十边形的边长, 而 $|ED|$ 就是正五边形的边长 (见图 21).

证明如下: 作 $OG \perp EB$, 并交 EB 于点 G. 由圆周角为 360°, 若能证明 $\angle BOG = 18°$, 即 $\angle BOE = 36°$, 则 $|BE|$ 就是正十边形的边长, 而 $|ED|$ 就是正五边形的边长.

令 $\alpha = 18°$. 由

$$\sin 54° = \cos 36°$$

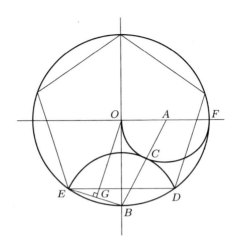

图 21　正五边形和正十边形

知

$$\sin 3\alpha = \cos 2\alpha$$

再注意到

$$\sin 3\alpha = 3\sin\alpha - 4\sin^3\alpha,\ \cos 2\alpha = 1 - 2\sin^2\alpha$$

并记 $x = \sin\alpha$，就得到

$$3x - 4x^3 = 1 - 2x^2$$

整理后得

$$4x^3 - 2x^2 - 3x + 1 = 0$$

即

$$(4x^2 + 2x - 1)(x - 1) = 0$$

因为 $x = \sin 18° \neq 1$, 故有

$$4x^2 + 2x - 1 = 0$$

据此可解出

$$x = \sin 18° = \frac{1}{4}(\sqrt{5} - 1)$$

因为

$$|OB| = |OF| = 1, \quad |OA| = \frac{1}{2},$$

$$|AB| = \sqrt{|OB|^2 + |OA|^2} = \frac{\sqrt{5}}{2}$$

故

$$|BE| = |BC| = |AB| - |AC| = \frac{1}{2}(\sqrt{5} - 1)$$

从而

$$|BE| = 2\sin 18°, \quad |BG| = \frac{1}{2}|BE| = \sin 18°$$

即 $\angle BOG = 18°$, $\angle BOE = 36°$.

(3) 正十五边形

根据正三边形和正五边形的边长, 很容易作出正十五边形的边长.

以 A 为公共顶点作出正三边形 ABC 和正五边形 $APQRS$. 因为

$$弧\ BQ = 弧\ APBQ - 弧\ APB$$
$$= \left(\frac{2}{5} - \frac{1}{3}\right) 圆周 = \frac{1}{15} 圆周$$

所以 $|BQ|$ 就是正十五边形的边长 (见图 22).

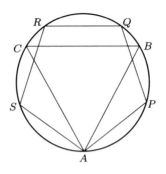

图 22　正十五边形

一旦作出了正 n 边形, 就很容易作出正 $2n$ 边形. 由边数分别为 3, 5, 15 的正多边形可作, 知道边数分别为 $2^n \times 3, 2^n \times 5, 2^n \times 15$ 的正多边形必可作, 其中 n 为任意正整数.

令人意想不到的是: 在作出了上述正多边形以后的两千多年的时间内, 事情再也没有进展, 致使数学家们普遍认为不再存在其他可作的正多边形了.

第一个否定这个共识的是德国的天才神童数学家高斯 (Gauss, 1777—1855). 1796 年, 这位年仅 19 岁的大学生竟限用直尺和圆规作出了正十七边形!

他怎么会想到作正十七边形呢? 那就要讲一下素数概念和一类特殊的素数.

2. 费马素数

说大于 1 的正整数 p 是**素数**, 指的是除了 1 和 p 本身以外, p 没有其他的正整数因数. 也就是说, $p = p \times 1$ 是唯一的正整数分解式.

大于 1 而不是素数的正整数称为**合数**. 1 是仅有的既不是素数又不是合数的正整数. 2 是唯一的偶素数, 大于 2 的素数必是奇数.

法国贵族数学家费马 (Fermat, 1601—1665) 是数学史上的一位传奇人物, 他的主要职业是乡村律师, 数学仅是他的业余爱好, 可是他对数学的发展作出的贡献甚至大大超越了专业数学家!

他有非常了不起的天才直观, 一生中提出过很多重要的数学猜测. 令人万分惊奇的是, 他的所有猜测全部被后人一一证实, 仅有一个例外, 那就是他在 1640 年的猜测: 凡是形如 $2^m + 1$ (其中 $m = 2^n$, n 是自然数) 的数, 都是素数, 后人称之为**费马素数**.

首先, 容易证明当 $2^m + 1$ 是素数时, 一定存在自然数 n, 使得 $m = 2^n$, 这就是说, m 一定没有奇数真因数. 这一点可以用反证法证明. 如果 m 有奇数真因数 p, 使得 $m = pu$, 则必有因式分解式

$$2^m + 1 = (2^u)^p + 1 = (2^u + 1)(2^{(p-1)u} - 2^{(p-2)u}$$
$$+ 2^{(p-3)u} - \cdots - 2^u + 1)$$

这说明 $2^m + 1$ 必是合数. 所以, 只有形如 $2^{2^n} + 1$ 的数才可能是素数.

将 $n = 0, 1, 2, 3, 4$ 代入 $2^{2^n} + 1$, 得到的五个数

$$3, \quad 5, \quad 17, \quad 257, \quad 65537$$

的确都是素数. 可是对 $n = 5$, 在 1738 年, 瑞士数学家欧拉 (Euler, 1707—1783) 惊人地发现有分解式:

$$2^{2^5} + 1 = 2^{32} + 1 = 4294967297 = 641 \times 6700417$$

这说明费马的猜想错了!

欧拉的这一分解式, 竟是 "一石激起千层浪", 从此以后, 人们再也没有找到第六个费马素数, 相反地, 倒是已经找到了 46 个形如 $2^{2^n} + 1$ 的数不是素数. 究竟还有没有其他的费马素数, 至今仍然是一个悬案.

3. 正十七边形的尺规作图法

现在我们回到正十七边形的作法上来. 已知的五个费马素数是

$$3, \quad 5, \quad 17, \quad 257, \quad 65537$$

高斯所作的正多边形的边数就是第三个费马素数.

他的作法是这样的 (见图 23, 其正确性的证明见第九讲):

在平面上作直角坐标系 xOy;

在 x 轴上以 $|OA| = 4$ 为半径作圆 O 交 y 轴于点 C;

在 x 轴上取 $|OE| = 1$, 连接 CE;

以 E 为圆心、$|CE|$ 为半径作圆弧, 交 x 轴于 F' 和 F 两点;

在 x 轴上取 $|FG| = |FC|$ (G 在大圆内);

在 x 轴上取 $|F'G'| = |F'C|$ (G' 在大圆外);

以 $|AG|$ 为直径作半圆 O', 交 y 轴于点 H;

以 H 为圆心、$\frac{1}{2}|OG'|$ 为半径作圆弧交 x 轴于点 I (I 在小圆内);

在 x 轴上取 $|IJ| = |IH|$ (J 在大圆外);

作 OJ 的垂直平分线交大圆于点 K 和 L、垂足为 M.

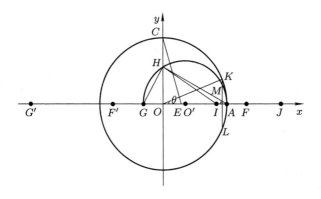

图 23 正十七边形边长的构作图

可证

$$\angle AOK = \frac{2\pi}{17}$$

于是 $|AK|$ 就是正十七边形的边长.

当时, 高斯兴冲冲地跑去告诉他的导师, 然而得到的竟是平淡的认可. 因为这个发现实在太出乎意料, 使人难以相信, 从而认为他的作法一定是犯规的. 由于这位教授炫耀过自己的诗集, 高斯竟无礼地回敬他是 "数学家中最好的诗人, 诗人中最好的数学家". 后来当导师知道他的确是作出了正十七边形以后, 就给以高度称赞和祝贺.

为了永远纪念高斯在青年时代的这个重要发现, 他逝世后, 在他的出生地布鲁斯维克的高斯墓碑上, 刻着一颗十七角星.

高斯的成功激起了尺规作图的极大热潮! 人们循着高斯的足迹, 致力于边数为剩下的两个费马素数 257 和 65537 的正多边形的作图方法.

后来, 德国数学家力西罗 (Richelot) 作出了正 257 边形, 作图过程印出来长达 80 页; 赫米斯 (Hermes) 作出了正 65537 边形, 其手稿就装满了一个手提箱, 现保存在德国的哥廷根大学. 这也许是尺规作图史上的一个最高纪录, 恐怕再也没有人愿意去打破这个纪录!

4. 天才神童高斯

这里, 我们简单介绍高斯 (见图 24) 的若干纪事.

图 24　高斯像

高斯是德国数学家、物理学家、天文学家和大地测量学家. 高斯享有数学王子、天才神童的美誉.

高斯出生于德国的一个普通家庭, 他的父亲曾做过工匠, 母亲是一个贫穷石匠的女儿, 曾从事女佣工作.

高斯虽然出身贫寒，却聪敏异常．他 3 岁时就帮助父亲记账，10 岁时，老师在算术课上出了一道题目：

"把从 1 到 100 的 100 个整数加起来等于多少?"

当其他学生在吃力地把数字一个一个加起来时，高斯却很快地给出了答案 "5050"．原来他是这样找到答案的：

$$1 + 100 = 101, \ 2 + 99 = 101, \ \ldots,$$

$$49 + 52 = 101, \ 50 + 51 = 101$$

一共有 50 对和为 101 的数，所以答案是 $50 \times 101 = 5050$．老师为了鼓励他，买了一本较深的数学书送给他．

高斯幼时家境贫困，但有幸得到了费迪南公爵的资助，让他有机会接受高等教育．他 15 岁时，进入布鲁斯维克学院，在那里，高斯开始研究高等数学．

他 18 岁到 21 岁在哥廷根大学数学系学习，19 岁时就做了一件惊天动地的大事，写出《正十七边形尺规作图之理论与方法》，实现了几千年来人们梦寐以求的一个理想．

到了 22 岁，他的博士论文是《所有单变数的有理函数都可以分解成一次或二次的因式这一定理的新证明》，得到了现在称为 "代数基本定理" 的重要结果，成为他对数学的一个巨大贡献!

他 30 岁起担任哥廷根大学教授兼哥廷根天文台台长，直至逝世．

高斯是少有的安详离世的数学家, 1855 年 2 月 23 日清晨在睡眠中死去, 享年 78 岁. 他的大脑具有深而多的沟回, 作为解剖标本被收藏在哥廷根大学.

有人这样形容高斯: "能从九霄云外的高度按照某种观点掌握深奥数学的天才".

在多年的研究生涯中, 高斯为自己规定了三条原则: 少些, 但是要成熟; 不留下进一步要做的事情; 极度严格的要求. 尽管如此, 他一生共发表著作 323 篇, 提出科学创见 404 项, 完成重大发明 4 项, 其中包括著名的汉诺威公国 (高斯居住的地方) 的大地测量工作, 为此他创造了有效的数学方法, 发明了日观测仪, 写下了关于测地学的专著.

5. 正多边形是不是可作的判别准则

从此以后, 人们就把精力转移到寻找哪些正多边形可用尺规作出的判别准则. 利用比较高深的伽罗瓦理论, 就可以得到如下的

判别准则 正 n 边形可作当且仅当

$$n = 2^e p_1 p_2 \cdots p_s$$

其中 e 为自然数, $p_1, p_2, \cdots, p_s$ 是两两不同的费马素数.

由此可得以下结论:

边数为任意一个费马素数的正多边形必可作;

边数为若干个不同的费马素数乘积的正多边形必可作;

对于任意一个可作正多边形, 当其边数增加一倍时, 相应的正多边形必可作.

这个判别准则是正多边形可作的充分必要条件,它使这个问题已经完整地解决了.

九、正十七边形作图法的一个
初等证明

记 $\theta = \dfrac{2\pi}{17}$. 作一个单位圆, 直径为 AOB (见图 25).

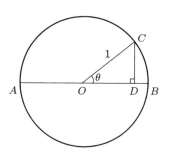

图 25　角的余弦值

如果能够作出 $|OD| = \cos\theta$, 那么, 过 D 点作 AB 的垂线, 交圆周于 C 点, 连接 OC, 于是 $\angle COB = \theta = \dfrac{2\pi}{17}$ 就可以作出了.

1. 证明 $\cos\theta$ 可作

令

$$x_1 = 2(\cos\theta + \cos 2\theta + \cos 4\theta + \cos 8\theta)$$

$$x_2 = 2(\cos 3\theta + \cos 5\theta + \cos 6\theta + \cos 7\theta)$$

因为 $17\theta = 2\pi$, $16\theta = 2\pi - \theta$, 所以 $\sin 16\theta = -\sin\theta$, 从而

$$\begin{aligned}
\sin 16\theta &= 2\sin 8\theta \cos 8\theta = 4\sin 4\theta \cos 4\theta \cos 8\theta \\
&= 8\sin 2\theta \cos 2\theta \cos 4\theta \cos 8\theta \\
&= 16\sin\theta \cos\theta \cos 2\theta \cos 4\theta \cos 8\theta \\
&= -\sin\theta
\end{aligned}$$

因为 $\sin\theta$ 不等于 0, 两边除之, 得到

$$16\cos\theta \cos 2\theta \cos 4\theta \cos 8\theta = -1$$

利用三角函数积化和公式 $2\cos\theta \cos 2\theta = \cos\theta + \cos 3\theta$ 等, 并注意到

$$\cos 9\theta = \cos 8\theta, \cos 10\theta = \cos 7\theta, \cos 11\theta = \cos 6\theta$$

$$\cos 13\theta = \cos 4\theta, \cos 14\theta = \cos 3\theta, \cos 15\theta = \cos 2\theta$$

有

$$\begin{aligned}
-1 &= 16\cos\theta \cos 2\theta \cos 4\theta \cos 8\theta \\
&= 4(\cos\theta + \cos 3\theta)(\cos 4\theta + \cos 12\theta) \\
&= 4(\cos\theta \cos 4\theta + \cos\theta \cos 12\theta + \cos 3\theta \cos 4\theta \\
&\quad + \cos 3\theta \cos 12\theta) \\
&= 2(\cos 5\theta + \cos 3\theta + \cos 13\theta + \cos 11\theta + \cos 7\theta \\
&\quad + \cos\theta + \cos 15\theta + \cos 9\theta)
\end{aligned}$$

$$= 2(\cos 5\theta + \cos 3\theta + \cos 4\theta + \cos 6\theta + \cos 7\theta$$
$$+ \cos \theta + \cos 2\theta + \cos 8\theta)$$

于是由 x_1 及 x_2 的上述定义, 有

$$x_1 + x_2 = -1$$

另一方面, 可以直接证明

$$x_1 x_2 = -4$$

事实上, 有

$$x_1 x_2 = 4(\cos \theta + \cos 2\theta + \cos 4\theta + \cos 8\theta)$$
$$\cdot (\cos 3\theta + \cos 5\theta + \cos 6\theta + \cos 7\theta)$$
$$= 4(\cos \theta \cos 3\theta + \cos \theta \cos 5\theta + \cos \theta \cos 6\theta$$
$$+ \cos \theta \cos 7\theta + \cos 2\theta \cos 3\theta + \cos 2\theta \cos 5\theta$$
$$+ \cos 2\theta \cos 6\theta + \cos 2\theta \cos 7\theta + \cos 4\theta \cos 3\theta$$
$$+ \cos 4\theta \cos 5\theta + \cos 4\theta \cos 6\theta + \cos 4\theta \cos 7\theta$$
$$+ \cos 8\theta \cos 3\theta + \cos 8\theta \cos 5\theta + \cos 8\theta \cos 6\theta$$
$$+ \cos 8\theta \cos 7\theta)$$
$$= 2(\cos 2\theta + \cos 4\theta + \cos 4\theta + \cos 6\theta + \cos 5\theta$$
$$+ \cos 7\theta + \cos 6\theta + \cos 8\theta + \cos \theta + \cos 5\theta$$
$$+ \cos 3\theta + \cos 7\theta + \cos 4\theta + \cos 8\theta + \cos 5\theta$$
$$+ \cos 9\theta + \cos \theta + \cos 7\theta + \cos \theta + \cos 9\theta$$
$$+ \cos 2\theta + \cos 10\theta + \cos 3\theta + \cos 11\theta + \cos 5\theta$$
$$+ \cos 11\theta + \cos 3\theta + \cos 13\theta + \cos 2\theta + \cos 14\theta$$
$$+ \cos \theta + \cos 15\theta)$$

$$= 8(\cos\theta + \cos 2\theta + \cos 3\theta + \cos 4\theta + \cos 5\theta$$

$$+ \cos 6\theta + \cos 7\theta + \cos 8\theta)$$

$$= 4(x_1 + x_2) = -4$$

由 $x_1 + x_2 = -1$ 和 $x_1 x_2 = -4$, 知 x_1, x_2 是二次方程 $x^2 + x - 4 = 0$ 的根. 由韦达定理, 并注意到 $x_1 > 0$, 知这两个根分别为

$$x_1 = \frac{-1 + \sqrt{17}}{2}, \quad x_2 = \frac{-1 - \sqrt{17}}{2}$$

再令

$$y_1 = 2(\cos\theta + \cos 4\theta), \quad y_2 = 2(\cos 2\theta + \cos 8\theta)$$

$$y_3 = 2(\cos 3\theta + \cos 5\theta), \quad y_4 = 2(\cos 6\theta + \cos 7\theta)$$

显然有

$$y_1 + y_2 = x_1, \quad y_3 + y_4 = x_2$$

此外, 有

$$y_1 y_2 = 4(\cos\theta + \cos 4\theta)(\cos 2\theta + \cos 8\theta)$$

$$= 4(\cos\theta\cos 2\theta + \cos\theta\cos 8\theta + \cos 4\theta\cos 2\theta$$

$$+ \cos 4\theta\cos 8\theta)$$

$$= 2(\cos\theta + \cos 3\theta + \cos 7\theta + \cos 9\theta + \cos 2\theta$$

$$+ \cos 6\theta + \cos 4\theta + \cos 12\theta)$$

$$= x_1 + x_2 = -1$$

$$y_3 y_4 = 4(\cos 3\theta + \cos 5\theta)(\cos 6\theta + \cos 7\theta)$$

$$= 4(\cos 3\theta\cos 6\theta + \cos 3\theta\cos 7\theta + \cos 5\theta\cos 6\theta$$

$$+ \cos 5\theta\cos 7\theta)$$

$$= 2(\cos 3\theta + \cos 9\theta + \cos 4\theta + \cos 10\theta + \cos \theta$$
$$+ \cos 11\theta + \cos 2\theta + \cos 12\theta)$$
$$= x_1 + x_2 = -1$$

因为在区间 $[0, \pi]$ 内, $\cos \theta$ 是单调递减函数, 必有 $y_1 > y_2$. 由于 y_1, y_2 是二次方程 $y^2 - x_1 y - 1 = 0$ 的根, 就有

$$\begin{aligned} y_1 &= \frac{x_1 + \sqrt{x_1^2 + 4}}{2} \\ &= \frac{1}{2}\left(\frac{-1 + \sqrt{17}}{2} + \sqrt{\frac{9 - \sqrt{17}}{2} + 4}\right) \\ &= \frac{1}{4}(\sqrt{17} - 1) + \frac{1}{4}\sqrt{34 - 2\sqrt{17}} \\ y_2 &= \frac{x_1 - \sqrt{x_1^2 + 4}}{2} \\ &= \frac{1}{2}\left(\frac{-1 + \sqrt{17}}{2} - \sqrt{\frac{9 - \sqrt{17}}{2} + 4}\right) \\ &= \frac{1}{4}(\sqrt{17} - 1) - \frac{1}{4}\sqrt{34 - 2\sqrt{17}} \end{aligned}$$

同理, 由 y_3, y_4 是二次方程 $y^2 - x_2 y - 1 = 0$ 的根, 且 $y_3 > y_4$, 就有

$$\begin{aligned} y_3 &= \frac{x_2 + \sqrt{x_2^2 + 4}}{2} \\ &= \frac{1}{2}\left(\frac{-1 - \sqrt{17}}{2} + \sqrt{\frac{9 + \sqrt{17}}{2} + 4}\right) \\ &= \frac{1}{4}(-\sqrt{17} - 1) + \frac{1}{4}\sqrt{34 + 2\sqrt{17}} \end{aligned}$$

$$y_4 = \frac{x_2 - \sqrt{x_2^2 + 4}}{2}$$

$$= \frac{1}{2}\left(\frac{-1 - \sqrt{17}}{2} - \sqrt{\frac{9 + \sqrt{17}}{2} + 4}\right)$$

$$= \frac{1}{4}(-\sqrt{17} - 1) - \frac{1}{4}\sqrt{34 + 2\sqrt{17}}$$

最后, 令

$$z_1 = 2\cos\theta, \quad z_2 = 2\cos 4\theta$$

则由

$$z_1 + z_2 = 2(\cos\theta + \cos 4\theta) = y_1$$

$$z_1 z_2 = 4\cos\theta\cos 4\theta = 2(\cos 3\theta + \cos 5\theta) = y_3$$

知道

$$\cos\theta + \cos 4\theta = \frac{1}{2}y_1, \quad \cos\theta\cos 4\theta = \frac{1}{4}y_3$$

这说明 $\cos\theta$ 及 $\cos 4\theta$ 是二次方程 $z^2 - \frac{1}{2}y_1 z + \frac{1}{4}y_3 = 0$ 的根. 注意到 $\cos\theta > \cos 4\theta$, 据此可求出

$$\cos\theta = \frac{1}{2}\left(\frac{1}{2}y_1 + \sqrt{\frac{1}{4}y_1^2 - y_3}\right)$$

$$= \frac{1}{4}\left(y_1 + \sqrt{y_1^2 - 4y_3}\right)$$

$$\cos 4\theta = \frac{1}{2}\left(\frac{1}{2}y_1 - \sqrt{\frac{1}{4}y_1^2 - y_3}\right)$$

$$= \frac{1}{4}\left(y_1 - \sqrt{y_1^2 - 4y_3}\right)$$

在第三讲中已证明: 可作数的和、差、积、商以及平方根都是可作数, 所以由 y_1, y_3 的表达式知它们都是可作数, 从而 $\cos\theta$ 就可作了.

2. 验证高斯所给出作图法的正确性

现在回到图 23.

在平面上作直角坐标系 xOy;

在 x 轴上以 $|OA| = 4$ 为半径作圆 O 交 y 轴于点 C;

在 x 轴上取 $|OE| = 1$, 并连接 CE, 则

$$|CE| = \sqrt{4^2 + 1} = \sqrt{17}$$

以 E 为圆心、以 $|CE|$ 为半径作圆弧, 交 x 轴于 F' 和 F 两点, 有

$$|EF| = |EF'| = |CE| = \sqrt{17}$$

从而

$$|OF'| = |EF'| - 1 = \sqrt{17} - 1$$

在 x 轴上取 $|FG| = |FC|$ (G 在大圆内);

在 x 轴上取 $|F'G'| = |F'C|$ (G' 在大圆外).

据此可依次求出

$$\begin{aligned}
|FG| = |FC| &= \sqrt{|OC|^2 + |OF|^2} \\
&= \sqrt{16 + (1 + |EF|)^2} \\
&= \sqrt{16 + (1 + \sqrt{17})^2} = \sqrt{34 + 2\sqrt{17}} \\
|F'G'| = |F'C| &= \sqrt{|OC|^2 + |OF'|^2} \\
&= \sqrt{16 + (-1 + |EF'|)^2}
\end{aligned}$$

$$= \sqrt{16 + (-1 + \sqrt{17})^2} = \sqrt{34 - 2\sqrt{17}}$$

$$|OG'| = |OF'| + |F'G'|$$

$$= \sqrt{17} - 1 + \sqrt{34 - 2\sqrt{17}} = 4y_1$$

以 $|AG|$ 为直径作半圆 O', 交 y 轴于点 H, 连接 HG 和 HA;

以 H 为圆心、$\frac{1}{2}|OG'|$ 为半径作圆弧交 x 轴于点 I (I 在小圆内);

在 x 轴上取 $|IJ| = |IH|$ (J 在大圆外), 则

$$|IJ| = |IH| = \frac{1}{2}|OG'| = 2y_1$$

作 OJ 的垂直平分线交大圆于点 K 和 L、垂足为 M, 则可证

$$\angle AOK = \theta = \frac{2\pi}{17}$$

因为 $z_1 = 2\cos\theta$, 所以只要证明 $\cos\angle AOK = \frac{1}{2}z_1$ 就可以了.

事实上, 可以依次得到以下结果:

$$|OG| = |FG| - |FO| = \sqrt{34 + 2\sqrt{17}} - (\sqrt{17} + 1)$$

$$= 4y_3$$

$$|OH|^2 = |OG| \times |OA| = 4y_3 \times 4 = 16y_3$$

$$|OI| = \sqrt{|IH|^2 - |OH|^2} = \sqrt{4y_1^2 - 16y_3}$$

$$= 2\sqrt{y_1^2 - 4y_3}$$

$$|OJ| = |OI| + |IJ| = 2\sqrt{y_1^2 - 4y_3} + 2y_1 = 4z_1$$

$$|OM| = \frac{1}{2}|OJ| = 2z_1$$

于是

$$\cos\angle AOK = \frac{|OM|}{|OK|} = \frac{1}{2}z_1$$

这就证明了 AK 就是正十七边形的边长.

十、结 束 语

虽然这些尺规作图问题的彻底解决距今已有近 200 年了，但仍然有人继续在为它做无用功．例如，还有一批 "三等分角者"，他们或者不知道这个问题为不可作，或者只知其然、而不知其所以然，还想用 "事实" 来推翻这个结论．实际上，他们并没有弄清楚问题的提法和确切结论，往往是无的放矢、答非所问，白白浪费了时间和精力．

这些古典几何作图问题，如果不对作图工具和方法提出苛刻的限制，实际上是很容易解决的．但在对这些尺规作图问题的理论探讨过程中，往往会衍生出一些丰富、精彩的数学内容、思想和方法，甚至开创出一些崭新的数学分支，有力地推动数学的发展．

事实上，从历史上看，不少重要的数学结果是为了解决古典几何作图问题而得出的副产品，包括开创了对圆锥曲线的研究，发现了一批著名的曲线等．不仅如此，这些尺规作图问题还和近代的方程论、群论等数学分支密切相关．

概括地说, 解决尺规作图问题是 "把几何问题代数化", 把点的作图问题化为方程求根问题. 这是在《朗兰兹纲领》提出之前所提供的一个光辉范例!《朗兰兹纲领》是普林斯顿高等研究院罗伯特·朗兰兹教授在 20 世纪 60 年代提出的. 他确信在所有的主要的数学课题之间存在着相互连接的环链, 只要找出这些环链, 最后可形成一个宏伟的、统一的数学. 在某个数学领域中无法解答的问题, 可以转换成另一个领域中相应的问题, 在那里可能有一整套数学工具来对付它, 而且这种转换是可以在各个领域之间传递的. 这是一种至善至美的哲学观.

《朗兰兹纲领》的又一光辉实践是, 英国中年数学家怀尔斯 (Wiles, 1953—　) 在 1995 年证明了费马大定理: 对于正整数 $n \geqslant 3$, 方程 $x^n + y^n = z^n$ 都没有正整数解 (x, y, z). 这是一个困扰了全世界无数大数学家足足有 358 年之久的顶级难题, 其解决过程堪称为历史上最长的马拉松证明!

最后应该说明, 书中所用到的历史资料, 由于出处不同、各种说法不尽一致, 又难以一一考证, 只能作为参考, 不足为据. 由于当年收集素材时, 未记下它们的出处, 现在已无法查找, 只得一并致谢! 凡是有不妥之处, 恳请读者批评指正, 不胜感激!

本书历经数稿, 自始至终都得到了李大潜主编的热忱支持、尽力指导, 他并逐字逐句精心斟酌、一丝不苟, 在此特致衷心的感谢.

郑重声明

读者意见反馈

为收集对教材的意见建议,进一步完善教材编写并做好服务工作,读者可将对本教材的意见建议通过如下渠道反馈至我社。

咨询电话　400-810-0598

反馈邮箱　hepsci@pub.hep.cn

通信地址　北京市朝阳区惠新东街4号富盛大厦1座
　　　　　　　高等教育出版社理科事业部

邮政编码　100029